# just between us

mother & daughter

ママとむすめの

# 交換日記

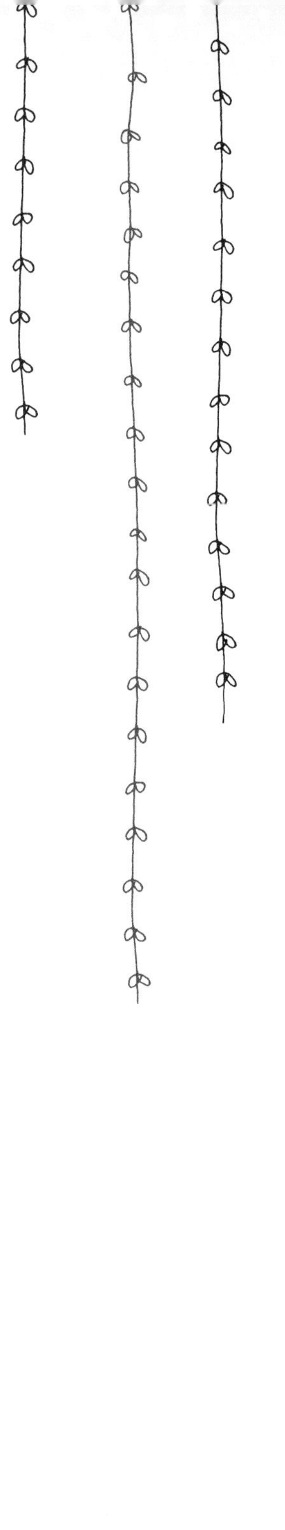

# just between us

mother & daughter

a no-stress, no-rules journal

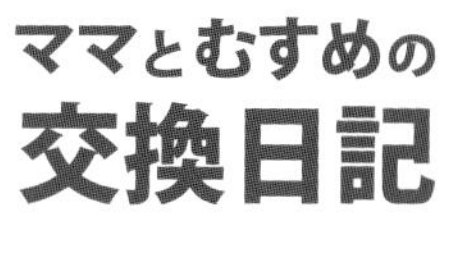

JUST BETWEEN US: Mother & Daughter a no-stress, no-rules Journal
by Meredith & Sofie Jacobs

First published in English by Chronicle Books LLC, San Francisco, California.
Japanese translation rights arranged with Chronicle Books LLC, San Francisco, California
through Tuttle-Mori Agency, Inc., Tokyo

Special thanks to Yumiko and her family. 

ママとむすめの交換日記
2020 年 1 月 29 日 初版第1刷発行
著者 メレディス&ソフィー・ジェイコブズ／訳者 栗木さつき／編集協力 藤井久美子
印刷 中央精版印刷株式会社
発行 海と月社 〒180-0003 東京都武蔵野市吉祥寺南町 2-25-14-105
電話 0422-26-9031 FAX0422-26-9032 http://www.umitotsuki.co.jp
©2020 Umi-to-tsuki Sha ISBN978-4-903212-69-2 定価は表紙に表示してあります。
乱丁本・落丁本はお取り替えいたします。



弊社刊行物等の最新情報は以下で随時お知らせしています。
ツイッター @umitotsuki
フェイスブック www.facebook.com/umitotsuki
インスタグラム @umitotsukisha

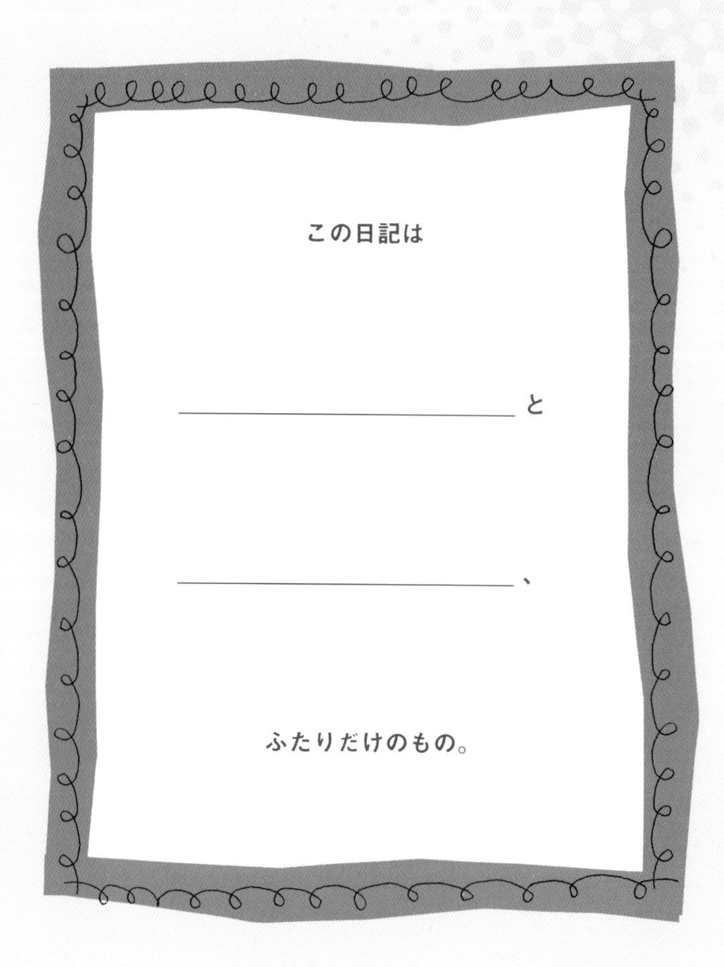

この日記は

____________________ と

____________________ 、

ふたりだけのもの。

# a daughter's perspective

## この日記帳を考案した“むすめ”からあなたへ

小学３年生のときに、ちかくの席の男の子のことが大好きになった。カッコよくて、頭もよくて、もうカンペキ。

そうしたらクラスで、その子もあたしのことが好きだっていううわさが立ちはじめた！

ホント？　どうすればいいの？

気のないフリをする？　「デートしない？」ってさそってみる？

考えれば考えるほど、わからなくなった。友だちに相談しても、みんなちがうことを言うから、よけいにわからなくなった。こうなったらもう、話が聞けるのはママだけ。

でも、ママには男の子の話なんてしたことない。そんなこと、はずかしくてできない！　それに、打ちあけたとしても、デートなんかしちゃダメってしかられたら？　その男の子のママに電話して（ひぃっ！）、あたしたちのことを笑われたら？——まだ子どもなのにカワイイわね、とかなんとか言って。

だけど、けっきょくは、思いきって相談することにしたの。

「ねえ……ママ……」。ある日ついに、あたしはママの部屋のドアに立って声をかけた。

ママはパソコンに向かってた。

「うん……なあに……？」。ママはそう言ったけど、あたしのほうなんか見もしないで、ずっとパソコンのスクリーンをながめてた。

「あのさ、クラスに好きな男の子がいて、あっちもあたしのこと好きみたいなんだけど、どうすればいいのかな」

あたしは早口でわーっと話した。けど、１分くらい（あたしには５万年くらいに思えた)、ママはなんにも言わなかった。あたしもなんにも言わなかった。しーーーーーーーん。

そのまま27秒たった。28秒。

「ママ？」。あたしはまた声をかけた。

45秒。46秒。47……。

「ママ？」

「うん？」

55秒。56秒。57秒。

「ママ？」

59……。

「うん？　ああ、ごめんね」。60秒。

「ちょっと頭がいっぱいだった」

だよね。見ればわかる。

そのあとようやく「なにかあったの？」ときいてくれた。「ソフィー、話してちょうだい。どんな話でも、ママ、ちゃんと聞くから」って。

でも、「なんでもない」って言っちゃった。

バッカみたい。ママとあたしはすっごく仲がいい。なのにどうして、好きな男の子がいるって正直に言えないんだろう。

ママは、またパソコンのほうを向いた。

「ありがと」

「うん……？」

あたしは自分の部屋に走っていった。そして、胸からあふれそうになっていた気もちをぜんぶ、日記に書きだした。そうしないと頭にきちゃって、どうにかなりそうだったから。ずーっとずーっと悩んで、思いきってママに話しかけたっていうのに、「うん？」っていう返事だけなんて、ひどすぎる。

やっぱり、ママに話したってムダなんだ。

その夜は、チアリーディングのレッスンにでかけた。
気もちはだいぶ落ちついたけれど、やっぱり、このままじゃいけない気がした。うちに帰っても、まだすっごくやもやしてた。だから、また日記に思いを書きだした。パッとひらめいたのは、そのときだ。
日記に書いたことを、ママに読んでもらえばいいんじゃない？
さっそく新しいノートを１冊と、ペンも２本だして、ママをあたしの部屋によんだ。そして、このアイデアを伝えた。
「ねえ、ママ、このノートにママに言いたいことを書くから、読んでくれない？　で、ママもこのノートに返事を書くっていうのはどう？」
ジャジャーン！　ママとあたしの交換日記、誕生！

あれからあたしもすっかり大きくなって、いま中学２年生。ママとの日記はもう５年も続いてて、すっごく楽しんでる。この日記のおかげで、思春期につきもののサイテーなこととか、面と向かって言いにくいこととか、話したいことはなんでも、隠さないでママに伝えられた。
それに、この日記のおかげで、おたがいのことがよくわかるようになった。あなたは、お母さんが生まれて初めてでかけたコンサートは、だれのか知ってる？　お母さんが中学生のとき、好きになった男の子の名前は？　あたしは交換日記をはじめるまで、なんにも知らなかった。だから、いろんなことを知るのは、すごくおもしろかった。
ママとあたしはときどきケンカもするけど、そんなときにも、交換日記は役に立つ。ママのこんなところにイライラしてるとか、モーレツに頭にきてるってことも、日記でなら伝えられるし、言いあわずに、落ちついて話しあえる。どうすればいいのかもわかってくるしね。
弟のことでケンカしたときもそうだった。弟のことは大好きだけど、ママはあたしより弟に甘い！　って思うときがよくある。たとえば、弟が算数のテストでＢをもらってくると、ママは「よくできたわね！」って言うくせに、あたしがＢだと「どうしてもっと勉強しなかったの？」って言う。犬の散歩も、食事のあと片づけも、いっつもあたし。そのあいだ、弟はゲームかなにかして遊んでるんだよ。

だからとうとう、「ママは弟を甘やかしてる！」って文句を言った。そしたらママ、カンカンに怒って、大声で「あなたのほうが、よっぽど手がかかるのよ。それに、あの子のほうが成績がよくないから、つらい思いをしてるのよ」って言った。

あたしはもう二度と弟の話はしなかった。かわりに、交換日記に気もちをぜんぶ書くことにした。これがマジで役に立った！　こんどはケンカをしないで、弟のことをじっくり話しあえた。

ママとあたしは、ずっと日記を交換してきたからこそ、おたがいの考えをきちんと聞いて、相手のことがわかるようになった。だから、日記を続けてきてよかったと思ってる。交換日記があれば、友だちからイヤなメッセージをもらって暗い気もちになっても、ママがうちに帰ってくるまで待たなくていい。すぐに日記に書きこめばいいんだから。こんなことがあって、こんな気もちになったんだって。

ママがいそがしいときや、家にいないときも、あたしは話したいことがあればいつでも日記に書きこむ。ママはかならず返事をくれる。

この交換日記がなかったら、あたしの毎日やママとの関係は、きっと、いまとはまるでちがうものになっていただろうな。

ソフィー・ジェイコブズ

## a mother's perspective

### この日記帳を考案した"母"からあなたへ

「日記なんて交換しなくたって、ただ話をすればいいんじゃない？」
ママ友からそう言われたことがある。
そうかな？　と考えた。ただ話をすれば、それでいいのかな。顔をあわせて話すほうがいい？　日記で会話をするのは、顔をあわせるのをさけていることになる？
そこまで考えて、ソフィーとはちゃんと会話をしていると思いなおした。話をすることと日記を交換すること――どちらかひとつしかできないわけじゃない。両方するからこそ、いいことがあるのだ。実際、日記を交わしたことで、ふたりの関係は強くなり、深くなり、広がった。
こんなすてきなことができるようになったのも、むすめのおかげだ。
あの晩のことはよく覚えている。９歳だったソフィーは、チアリーディングのレッスンから帰ってくるなり、自分の部屋にこもってしまった。夕食のあいだもだまっていた。「なにかあったの？」と何度たずねても、「べつに」と言うばかり（そう、みなさんおなじみの「べつに」）。
でもようやく、あの子は言った。「ちょっと、あたしの部屋にきてくれない？」。そして、わたしが中に入るとこう言った。
「ママに話したいことがあったんだけど、口にだすのがはずかしかったし、こんなこと話すなんてバカみたいって思っちゃったの。だからさ、日記を交換しない？　そうすれば、ママに話したいことを日記に書けるし、ママも返事を書けるでしょ？」
わたしはそのアイデアに飛びつき、さっそくノートに、「これはふたりだけの日記で、ほかの人にはぜったいに見せません」と書いた（パパにもぜったいに、ぜったいに見せないでと、何度も約束させられた）。

こうして、ふたりだけの日記がはじまった。

ふしぎなことに、ソフィーが日記に書いてくれたことはよく覚えているのに、どんな返事を書いたのかは、あまり覚えていない。

でも、どんなことを書いたかは重要じゃない。わたしがほんとうに幸せな気もちになったのは、この日記のおかげで、ソフィーと心をひらいて話せるようになったからだ。たとえ、あの子があまり話したがらないときでも、日記でならおしゃべりできた。

あの日からずっと、わたしたちは交換日記を続けている。

まじめなことはあんまり書かない。このまえ、ソフィーは日記に「パパとママがおしゃれしておでかけするまえの、家のなかの香りが大好き」と書いてくれた。そのときの返事はこう。「そういえば、わたしも子どものころ、パーティにでかけるまえにお母さんがお化粧するのをながめるのが好きだったわ」。母がとくべつな日につける香水のかおりをかぐのも大好きだった。それも書いた。なつかしい思い出だ。

こんな話ができるようになったのも、みんな、交換日記のおかげ。いまでは、おたがいの夢や考えも、分かちあえるようになっている。

日記に「書く」と、ふだんとはちがうコミュニケーションができる。書いていると、とりとめのないことをよく考えるから、おしゃべりしているときよりも、自分の想いや考えを伝えやすいのかもしれない。それに、ソフィーは書いているときのほうが、勇気をもって自分の思いをまっすぐ伝えてくれるような気がする。わたしにすごく腹を立てていると書いてくることもある。面と向かってだと、こうは言えないだろう。

ママは弟ばかり甘やかしていると、すごいけんまくで怒られたときのことも、忘れられない。ソフィーが正直に言ってくれて、とてもうれしかったけど、ちょっとムッともした。私だってがんばっているのに、どうして悪いところばかりさがして文句を言うの？って。でも、文章で読んだおかげで落ちつけて、ソフィーの言い分ももっともだと思えた。

わたしは、この本によせてくれたソフィーの文章を読んではじめて、彼女（かのじょ）が交換日記をしたかったわけのひとつを知った。わたしがパソコンや電話ばかりしていたせいで、話をしたくてもできないことがあったなんて……。

でも、日記のおかげで、もうわたしに時間（じかん）ができるのを待つ必要（ひつよう）はなくなった。

ソフィーもわたしも、昔よりいそがしくなった。ふたりで一緒（いっしょ）にすわっておしゃべりをする時間は、毎年どんどん少なくなっている。そのぶんいっそう、顔をあわせなくても気もちを伝えられる日記の役割が大きくなっている。

ソフィーはりっぱな中学生になって、最近（さいきん）は友だちとさかんにSNSでおしゃべりしている。でも、わたしとも交換日記をつうじて「おしゃべり」してくれる。それが、うれしくてたまらない。

10代の女の子には、いろいろなことが起（お）こる。昔（むかし）よりずっと、スピードも速（はや）い。ここ数年（すうねん）で、わたしたちの日記の内容は、弟の話から男の子の話やお友だちと遊（あそ）ぶ話、さらには思春期ならではの話へと変わってきた。

ソフィーはすごくおとなっぽいから、自信（じしん）にみちているように見える。それでつい、ほんとうは迷（まよ）いながら日々をすごしていることを忘れてしまう。けれど、はずかしくて言えないようなことを日記に書いているのを見ると、ソフィーがまだ少女であること、変化（へんか）する心とからだにとまどっていることを思い知らされる。

口にだしにくい話でも、書けば伝えることができる——それに、いったん日記のなかで「おしゃべり」できるようになれば、顔と顔をあわせたときにも、あまりはずかしがらずに会話ができる。

ソフィーとわたしは仲よしだけど、この日記がなかったら、これほどいい関係でいられたかどうか。少なくとも、日記を交換しなければ、こんなにも深いコミュニケーションをとることはなかっただろう。

ソフィーからは、クイズ形式で質問されることもある。「好きな曲はなに？」とか「このまえママは寝ぼうしたけれど、それはなぜ？」とかいろいろ。つまり、ソフィーはわたしのことを、ただの「ママ」ではなく「ひとりの人間」として知ろうとしているのだ。

もちろん、わたしからもソフィーに質問することがある。そのおかげで、むすめの好きな色も、彼女が男の子のどんなところを見て好きになるのかもわかってきた。

わたしは日ごろからママ友に、むすめと交換日記をしている話をする。ふたりだけの日記は、ためしてみる価値があると思うからだ。

あるとき、ソフィーより年上の10代の男の子がいるママから、「わたしもはじめたわよ」と聞いた。息子がつらい日々をすごしているようだったので、自分用と息子用に1冊ずつ日記を用意したという。そしてときおり、背中あわせに床にすわり、声をあげて自分の日記を読む。すると、たがいがどんな毎日をすごし、どんなことを思っているのか、分かちあうことができるのだそうだ。

そうして、ふたりには強いきずながができた。

みなさんにも、この日記をつうじて、いろんな発見をしてほしい。

わたしは、むすめとの日記で「タイムカプセル」をつくれたことも、ありがたく思っている。ついこのまえまで、ソフィーのことを「ちっちゃな女の子」だと思っていたのに、彼女が小さかったときのあれやこれやをもう忘れてしまっている。どんな声で話していたのか、どんなことについておしゃべりをしていたのか、どんなことで笑ったり泣いたりしていたのか……。

わたしの記憶のなかで、さまざまな思い出がどんどん薄れているのだ。すべてを覚えておきたいけれど、そんなことはできない。あっというまに、むすめは成長していくだろう。

でも幸(さいわ)い、わたしたちには交換日記がある。

数年後のある日、日記帳を手にとれば、一瞬(いっしゅん)にして当時(とうじ)に引(ひ)き戻(もど)されるにちがいない。ふたりで書いたあれやこれ、むすめの手書きの文字、あの子が自分の気持ちをあらわすのに使った表現(ひょうげん)、すべてがそのときの彼女をうつしだしてくれるはずだ。

そう、ふたりだけの日記は、写真(しゃしん)よりずっとあざやかに、母とむすめの人生(じんせい)の一場面(いちばめん)をとらえてくれるのだ。

メレディス・ジェイコブズ

# Ideas for Getting Started

## 交換日記をはじめるまえに

●この日記には、ページごとに、会話がはずむきっかけとなるテーマが書いてあります。

●リストをつくったり、イラストを描(か)いたりするための、楽しいアイデアも書いてあります。

●自由(じゆう)に書けるページもたくさんあるので、毎日、どんなことがあったのか、どんな気もちになったのかを、なんでも好きなように書くこともできます。

●しおりが２本ついています。グリーンはママ用、オレンジはむすめ用。これを使えば、いま、どのページに書いているのかが、すぐにわかります。

## これだけは決めておきたい「約束ごと」

1. この日記を読んでいいのはだれ？　いちど決めたら、かならずまもろう。たがいを信じられることが、これを続けるうえで、いちばん大切！

2. 日記はどうやってやりとりする？　わたしたちは、たがいのベッドサイドテーブルに日記を置いて、「書いといたよ」と、かならず知らせるようにした。以前、せっかく書いたのに、読まれないまま、本や雑誌の山にうもれていたことがあって、ものすごく反省したから！

3. 返事はいつ返ってくると思えばいい？　いそがしくて、なかなか返事がもらえないときもあるかも（ママがくたびれてへとへとだった、むすめが宿題をしなくちゃならなかった……）。そんなときは、待っていることを相手に伝えよう。ソフィーはときどき、「この質問はマジで大切だから、ぜったいに返事をちょうだいね」と、書いてくる。ページにふせんをつけておくのもグッド。それほど急いでいなければ「ママ、大切なことを書いたから、いつでもいいから返事をちょうだい」と、口で伝えるのもいい（でも、ママはあまりぐずぐずしないで。むすめさんは、あなたとコミュニケーションをとりたがっているのだから！）。

4. どうやって呼びかければいい？　ただ相手の名前だけを書くよりも、「大好きなママへ」とか「かわいいむすめへ」とかいった言葉にしたほうが、そのあとの文章を書きやすくなるよ。

5. なにを使って書くのがいい？　クリップで日記に専用のペンをつけておけば、いつでも書けて便利。時間の節約にもなる（ペンをさがして、あちこちの引き出しを見なくてすむ！）。色えんぴつやクレヨンの箱を用意して、その日のタイトルにイラストをそえるのも楽しいね。字の書き方についてはあれこれ心配しないで。学校の授業じゃないんだから。「きちんと書く」ことが目的じゃない。ただ、あなたが書いた文字を、相手が読むことだけは忘れないようにすればじゅうぶん。それだけで、しぜんに読みやすくなるはず。

## 大切なこと

1. 日記のなかだけのことにしたいとき　ここに書いた内容を、ここ以外の場所で話したくないなら、相手にそう伝えること。そして、おたがいに、その約束をまもること。相手の思いは大切にしようね。

2. ここにはなんでも書いていい　この日記は、すなおな気もちをやりとりするもの。ほんとうの気もちを書かないで、カッコばかりつけていたら、書く意味なんかない。だから、ママはむすめになにを書かれても、怒っちゃいけない。「日記ならなんでも言える」と思っているむすめに怒ったり、お説教をしたりすれば、きっと、もう書きたがらなくなる。もちろん、むすめも同じこと。ママだって、日記のなかでは正直に気もちを伝えたい。なにが書いてあっても、ふくれっつらをしたり、ふきげんになって大きな音をたてたりしちゃダメ。

3.　正直になる　もうわかってる？　しつこい？　でも大切なことだから、もういちど言うよ——正直になろう！

4. 楽しむことを忘れない　交換日記は、言いにくいことを伝えるためにだけあるんじゃない。ママとむすめの関係に、べつの面をくわえる役割だってある。ときには、くだらないこともどんどん書こう。ちょっとしたおもしろ話を書く、絵を描く、大好きな（あるいは昔好きだった）アイドルやミュージシャンのリストを書きだす、なんていうのもいいね。

5. いちばん大切なこと――おたがい心から愛していることを、ぜったい忘れない　この日記を大切にしよう。そして、この日記のおかげでできるようになったことを、ありがたく思おう。この日記のおかげで、ふたりの関係がどれほど近くなったかも考えよう。数年後や数十年後に、この日記帳をひらいてみよう。きっと一瞬で、ふたりがすごした「あのとき」にもどれて、すごく幸せな気もちになれるよ。

では、どうぞ！

## Twenty things about me わたしについての20のこと

1. いちばん最後に食べたものは
2. いちばん最近話した人は
3. 体のことを気にしなくていいなら、食べたいのは
4. 好きな野菜は
5. 好きなテレビ番組は
6. 好きな映画は
7. 好きな歌は
8. 好きな本は
9. 学校でいちばん楽しかった学年は
10. 好きな言葉は
11. 好きな季節の行事は
12. ぜったいに失敗しないなら、やってみたいのは
13. よくないかもしれないけれど、やめられないのは
14. 行ってみたい場所は
15. 苦手な人やきらいなものは
16. 大好きな人やものは
17. 信じていることは
18. はやっているけれど、気にいらないのは
19. むすめの好きなところは
20. むすめと一緒にやって楽しいのは

mother ママ

# Twenty things about me わたしについての20のこと

1. いちばん最後(さいご)に食べたものは
2. いちばん最近(さいきん)話した人は
3. 体のことを気にしなくていいなら、食べたいのは
4. 好きな野菜(やさい)は
5. 好きなテレビ番組(ばんぐみ)は
6. 好きな映画(えいが)は
7. 好きな歌(うた)は
8. 好きな本は
9. 学校でいちばん楽(たの)しかった学年は
10. 好きな言葉は
11. 好きな季節(きせつ)の行事(ぎょうじ)は
12. ぜったいに失敗(しっぱい)しないなら、やってみたいのは
13. よくないかもしれないけれど、やめられないのは
14. 行ってみたい場所(ばしょ)は
15. 苦手(にがて)な人やきらいなものは
16. 大好きな人やものは
17. 信(しん)じていることは
18. はやっているけれど、気にいらないのは
19. ママの好きなところは
20. ママと一緒(いっしょ)にやって楽しいのは

あなたが生まれたあと、
はじめて家でふたりきりになったときに思ったことは

あなたの歯（は）がはじめて抜（ぬ）けたとき、思ったことは

あなたの小学校の入学式の日に思ったことは

ほかにも、あなたについての「はじめてのこと」で覚（おぼ）えているのは

mother（ママ）

わたしのいちばん最初(さいしょ)の記憶(きおく)は

わたしが小さかったとき、よく思ってたのは

ママとの思い出のなかで、いちばん好きなのは

むすめ
daughter

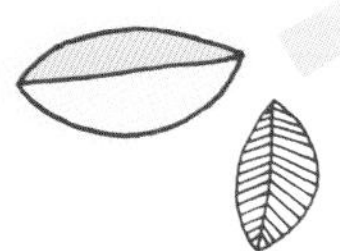

あなたぐらいの年のころ、わたしがお母さんによく話していたのは

お母さんに話せればよかったな、と思っていることは

ママとおしゃべりしていて、楽(たの)しいのは

ママに話(はな)しにくいことは

daughter むすめ

free space
自由のページ

free space
自由のページ

大きくなったら、なりたかったのは

そして、いまこうなった。その理由は

## おとなになったらなりたいもの３つ（その理由も）

1.

2.

3.

あなたの年のころ、わたしはこんな子どもだった

将来、こんなママになりたい

むすめ daughter

いちどでいいからしてみたいかっこうを描（か）くと……

（このかっこうで、どこに行って、なにをしたいかも書こう）

mother（ママ）

**いちどでいいからしてみたいかっこうを描く(か)と……**

（このかっこうで、どこに行って、なにをしたいかも書こう）

free space
自由のページ

free space
自由のページ

free space

自由のページ

free space

自由のページ

子どものころの親友(しんゆう)は

友だちとのつきあいは、こんなふうに変(か)わってきた

友情(ゆうじょう)についてこれまで学(まな)んできたことは

mother ママ

いちばんの親友(しんゆう)は

友だちには、こうしてほしいと思ってる

友だちとのことで、困(こま)っていることや悩(なや)んでいることは

学校で体験した、いちばん恥ずかしかったことは（それをどう乗りこえたか）

学校で体験(たいけん)した、いちばん恥(は)ずかしかったことは（それをどう乗(の)りこえたか）

# my top 10 favorite songs

## わたしの好きな曲、トップ10

1. ..........
2. ..........
3. ..........
4. ..........
5. ..........
6. ..........
7. ..........
8. ..........
9. ..........
10. ..........

# my top 10 favorite songs
## わたしの好きな曲（きょく）、トップ10

1. ……………………………………

2. ……………………………………

3. ……………………………………

4. ……………………………………

5. ……………………………………

6. ……………………………………

7. ……………………………………

8. ……………………………………

9. ……………………………………

10. ……………………………………

free space

自由のページ

自由のページ

*free space*

free space
自由のページ

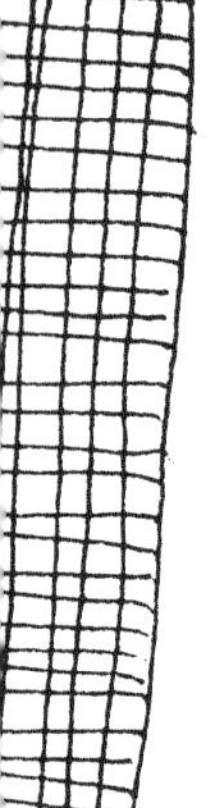

自由のページ
free space

## わたしが書いた小説（しょうせつ）がベストセラーに！

それはこんな小説よ

## わたしの人生が映画化された！
## 主役（＝わたし）を演じるのはだれで、あらすじは……

daughter

むすめ

あなたの年ごろだったとき、わたしが体験した笑える話は

**わたしの身に起こった、いちばん笑える話は**

daughter むすめ

寝（ね）るまえに、よく考（かんが）えるのは

よく見る夢（ゆめ）は

朝（あさ）、起（お）きて、まず頭（あたま）に浮（う）かぶのは

寝るまえに、よく考えるのは

よく見る夢は

朝、起きて、まず頭に浮かぶのは

free space
自由のページ

自由のページ

*free space*

free space
自由のページ

free space
自由のページ

ほんとうはしてみたかったのに、こわくてしなかったことは

mother
ママ

ほんとうはしてみたかったのに、こわくてしなかったことは

がんばってやりとげた、これまででいちばんすばらしいことは

いちばん後悔していることは

これまでの人生でいちばん大きな決断は

がんばってやりとげた、これまででいちばんすばらしいことは

いちばん後悔(こうかい)していることは

これまでの人生(じんせい)でいちばん大きな決断(けつだん)は

# Love it! or Ew! No! 大好き？ 大キライ？

| | 大好き | 大キライ |
|---|---|---|
| お笑い番組 | | |
| ジーンズ | | |
| 寿司 | | |
| 詩 | | |
| 絵を描くこと | | |
| メールや LINE | | |
| ダンス | | |
| 歌うこと | | |
| 演技すること | | |
| テレビドラマ | | |
| ジェットコースター | | |
| 雨の日 | | |
| マシュマロ | | |
| アニメソング | | |
| 雷 | | |
| 人形劇 | | |
| 幽霊の話 | | |
| プール | | |
| デジタルゲーム | | |
| 運動 | | |
| マヨネーズ | | |
| 大きくて揺れるイヤリング | | |
| ドライブ旅行 | | |
| 子犬 | | |
| お裁縫 | | |

当てはまるほうに○をつけて。
（どちらでもないときは、
好きとキライの間に○してもいいよ）

| 大好き | 大キライ |
| --- | --- |
| ………………………………… | ………………………………… |
| ………………………………… | ………………………………… |
| ………………………………… | ………………………………… |
| ………………………………… | ………………………………… |
| ………………………………… | ………………………………… |
| ………………………………… | ………………………………… |
| ………………………………… | ………………………………… |
| ………………………………… | ………………………………… |
| ………………………………… | ………………………………… |
| ………………………………… | ………………………………… |
| ………………………………… | ………………………………… |
| ………………………………… | ………………………………… |
| ………………………………… | ………………………………… |
| ………………………………… | ………………………………… |
| ………………………………… | ………………………………… |
| ………………………………… | ………………………………… |
| ………………………………… | ………………………………… |
| ………………………………… | ………………………………… |
| ………………………………… | ………………………………… |
| ………………………………… | ………………………………… |
| ………………………………… | ………………………………… |
| ………………………………… | ………………………………… |
| ………………………………… | ………………………………… |
| ………………………………… | ………………………………… |
| ………………………………… | ………………………………… |

むすめ
daughter

free space

自由のページ

free space

自由のページ

free space
自由のページ

## 昔のわたしにあてた短い手紙

## 未来のわたしにあてた短い手紙

## むすめのことを歌にしたら

（好きな曲で、あなたのかえ歌をつくると、こうよ）

# ママのことを歌にしたら

（好きな曲(きょく)で、ママのかえ歌をつくるなら、こう）

＊曲(きょく)がうかばないなら、音楽(おんがく)の教科書(きょうかしょ)から選(えら)んでみて

むすめ daughter

あなたと似ているところは

あなたとちがうところは

あなたのスゴイところは

ママと似(に)ているところは

ママとちがうところは

ママのスゴイところは

free space
自由のページ

自由のページ
free space

free space
自由のページ

mother

子どものころのわたしの見た目は

よく着ていた服は

そのころは、自分のことをこんなふうに思っていた

そのころあなたに出会っていたら、友だちになれたかどうか

自分の見た目を説明するとしたら

自分の顔で気にいっているところは

もし変えられるなら、こういうところを変えたいわたしの初恋は（そして、それ以来、学んだこと！）

mother（ママ）

恋やデートのことで、これだけはママに聞いておきたいのは

# むすめへの質問（しつもん）
# Questions I have for you

1. ……………………………… (あなたの答え：　　　　　　　　)

2. ……………………………… (あなたの答え：　　　　　　　　)

3. ……………………………… (あなたの答え：　　　　　　　　)

4. ……………………………… (あなたの答え：　　　　　　　　)

5. ……………………………… (あなたの答え：　　　　　　　　)

6. ……………………………… (あなたの答え：　　　　　　　　)

7. ……………………………… (あなたの答え：　　　　　　　　)

8. ……………………………… (あなたの答え：　　　　　　　　)

9. ……………………………… (あなたの答え：　　　　　　　　)

10. ……………………………… (あなたの答え：　　　　　　　　)

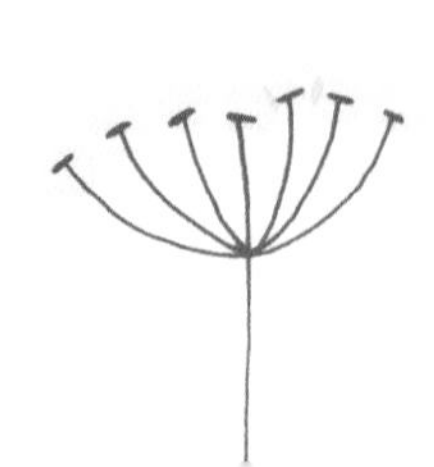

# Questions I have for you
## ママへの質問

1. ........................................................ (ママの答え：　　　　　　　　　　　　)

2. ........................................................ (ママの答え：　　　　　　　　　　　　)

3. ........................................................ (ママの答え：　　　　　　　　　　　　)

4. ........................................................ (ママの答え：　　　　　　　　　　　　)

5. ........................................................ (ママの答え：　　　　　　　　　　　　)

6. ........................................................ (ママの答え：　　　　　　　　　　　　)

7. ........................................................ (ママの答え：　　　　　　　　　　　　)

8. ........................................................ (ママの答え：　　　　　　　　　　　　)

9. ........................................................ (ママの答え：　　　　　　　　　　　　)

10. ........................................................ (ママの答え：　　　　　　　　　　　　)

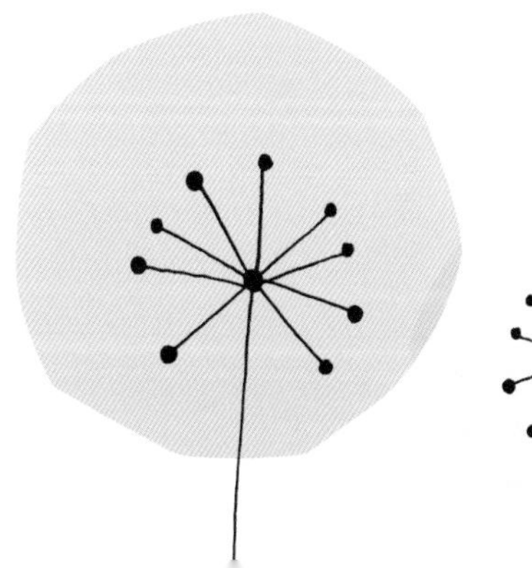
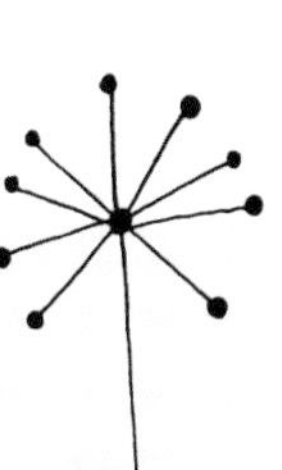
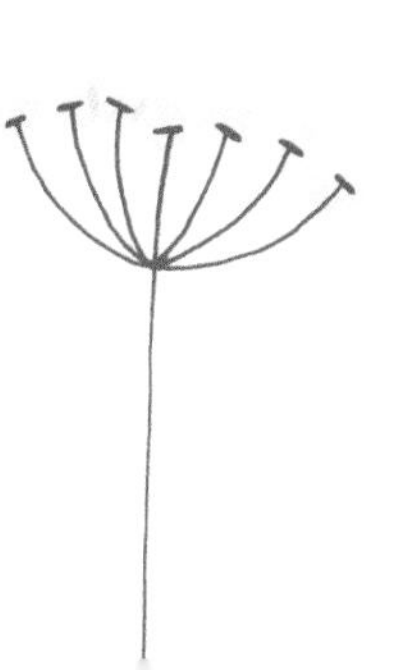

free space
自由のページ

free space
自由のページ

わたしの“とっぴょうしもない”夢は

あなた、これを聞いて思ったことをここに書いて

mother
ママ

わたしの“とっぴょうしもない”夢は

ママ、これを聞いて思ったことをここに書いて

しーっ！　親友(しんゆう)も知らないわたしの秘密(ひみつ)は

mother(ママ)

しーっ！ 親友（しんゆう）も知らないわたしの秘密（ひみつ）は

## 夢に見ている部屋のイラスト

（自分の部屋だけじゃなく、キッチン、図書室、サンルーム、クローゼットなど、なんでもOK）

## 夢に見ている部屋のイラスト

（自分の部屋だけじゃなく、キッチン、図書室、
サンルーム、クローゼットなど、なんでもOK）

free space
自由のページ

free space
自由のページ

# Things I would love for us to do together

むすめと一緒(いっしょ)にできたら楽しそう！と思っていること

1. ............................................................

2. ............................................................

3. ............................................................

4. ............................................................

5. ............................................................

6. ............................................................

7. ............................................................

8. ............................................................

9. ............................................................

10. ............................................................

mother(ママ)

# Things I would love for us to do together

ママと一緒（いっしょ）にできたら楽しそう！と思っていること

1. ..................................................

2. ..................................................

3. ..................................................

4. ..................................................

5. ..................................................

6. ..................................................

7. ..................................................

8. ..................................................

9. ..................................................

10. ..................................................



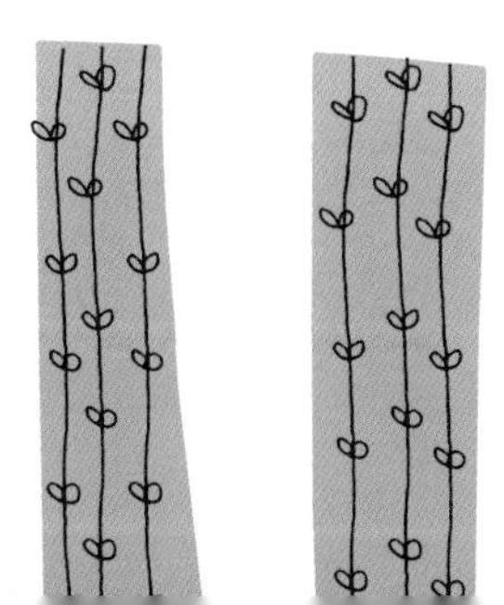

むすめが生まれたら、こんなふうになるだろうと想像していた

想像もしていなかったことは

あなたとの関係で、いちばん好きなところは

あなたとの関係で、もっとよくしたいと思っているところは

ママが自分(じぶん)のお母さんでよかったと思っているところは

ママのあんまり好きじゃないところは

ママとの関係(かんけい)で、もっとよくしたいと思っているところは

結果なんか気にせず、なんだってしていいのなら、してみたいのは

どんなスーパーパワーでも身につけられるとしたら、ほしいパワーは

宇宙のどこにでも旅行できるのなら、行ってみたいのは

どの時代のどんな人にでもなれるなら、なってみたいのは

結果なんか気にせず、なんだってしていいのなら、してみたいのは…………………

…………………………………………………………………………………………………………

…………………………………………………………………………………………………………

…………………………………………………………………………………………………………

…………………………………………………………………………………………………………

…………………………………………………………………………………………………………

…………………………………………………………………………………………………………

どんなスーパーパワーでも身につけられるとしたら、ほしいパワーは…………………

…………………………………………………………………………………………………………

…………………………………………………………………………………………………………

…………………………………………………………………………………………………………

…………………………………………………………………………………………………………

…………………………………………………………………………………………………………

…………………………………………………………………………………………………………

宇宙のどこにでも旅行できるのなら、行ってみたいのは…………………

…………………………………………………………………………………………………………

…………………………………………………………………………………………………………

…………………………………………………………………………………………………………

…………………………………………………………………………………………………………

…………………………………………………………………………………………………………

…………………………………………………………………………………………………………

どの時代のどんな人にでもなれるなら、なってみたいのは…………………

…………………………………………………………………………………………………………

…………………………………………………………………………………………………………

…………………………………………………………………………………………………………

…………………………………………………………………………………………………………

…………………………………………………………………………………………………………

…………………………………………………………………………………………………………

free space

自由のページ

free space
自由のページ

free space
自由のページ

５年以内に、こうなっていたい

mother
ママ

**５年以内に、こうなっていたい**

わたしのバッグに入っているモノのイラスト

あなたの通学カバンに入っていると思うモノのイラスト

わたしの通学カバンに入っているモノのイラスト

ママのバッグに入っていると思うモノのイラスト

やって楽しいスポーツは（スポーツがキライなら、その理由を）

やりたいけれど、わたしにはできないスポーツは

スポーツをしているとき、体や心はこんなふうに感じる

やって楽しいスポーツは（スポーツがキライなら、その理由を）

やりたいけれど、わたしにはできないスポーツは

スポーツをしているとき、体や心はこんなふうに感じる

free space
自由のページ

自由のページ
free space

free space
自由のページ

free space
自由のページ

mother ママ

あなたくらいのころ、学校のことはこんなふうに思っていた

親(おや)がわたしに望(のぞ)んでいた進路(しんろ)は

学校生活(せいかつ)や大学(だいがく)への進学(しんがく)について、知っておいてほしいことは

これまでで、いちばんすばらしい学(まな)びの体験(たいけん)は（学校でも学校以外(いがい)でも）

学校の好きなところは

学校のイヤなところは

自分の成績のことは、こんなふうに思ってる

これまでで、いちばんすばらしい学びの体験は（学校でも学校以外でも）

もうムリ！　としか思えないときに、やるようにしているのは

もっと時間をかけてしたいと思っていることは

あなたにもっと時間をかけてほしいと思っていることは

この世界でなんでもできるのであれば、したいのは

いまの習(なら)いごとやクラブ活動(かつどう)について思っていることは

自分が時間(じかん)をかけすぎていると思うことは

もっと時間をかけてしたいと思っていることは

この世界(せかい)でなんでもできるのであれば、したいのは

daughter むすめ

# Books I loved that I hope you'll read

## むすめが読んでくれたらうれしい本

1. ................................................................

2. ................................................................

3. ................................................................

4. ................................................................

5. ................................................................

6. ................................................................

7. ................................................................

8. ................................................................

9. ................................................................

10. ................................................................

# Books that I hated to see end

**読みおえたくないほど大好きな本**

1. ……………………………………………………

2. ……………………………………………………

3. ……………………………………………………

4. ……………………………………………………

5. ……………………………………………………

6. ……………………………………………………

7. ……………………………………………………

8. ……………………………………………………

9. ……………………………………………………

10. ……………………………………………………

free space
自由のページ

free space
自由のページ

free space
自由のページ

free space
自由のページ

あなたくらいのころ、こんなイラストを描くのが好きだった

## こんなイラストを描くのが好き

いま大好きなのは

「こうだったらいいのにな」と思うことは

「きっとそうなる」と思っていることは

いま大好きなのは

「こうだったらいいのになあ」と思うことは

「きっとそうなる」と思っていることは

なにかの
「ベスト10」を
つくるとしたら

(タイトル)

1.

2.

3.

4.

5.

6.

7.

8.

9.

10.

mother
ママ

## なにかの「ベスト10」をつくるとしたら

(タイトル)

1.

2.

3.

4.

5.

6.

7.

8.

9.

10.

この交換日記をやってみて、学んだこと、わかったこと

mother（ママ）

この交換日記をやってみて、学んだこと、わかったこと

むすめ daughter

free space

自由のページ

free space
自由のページ

free space
自由のページ

free space
自由のページ

自由のページ
free space

free space

自由のページ